Le livre de cuisine sans sucre pour les débutants

50+ RECETTES SANS SUCRE

Isabeau Dupuis

Avertissement

Les informations contenues dans i sont destinées à servir de collection complète de stratégies sur lesquelles l'auteur de cet eBook a effectué des recherches. Les résumés, stratégies, trucs et astuces ne sont que des recommandations de l'auteur, et la lecture de cet eBook ne garantira pas que les résultats refléteront exactement les résultats de l'auteur. L'auteur de l'eBook a fait tous les efforts raisonnables pour fournir des informations actuelles et exactes aux lecteurs de l'eBook. L'auteur et ses associés ne seront pas tenus responsables de toute erreur ou omission involontaire qui pourrait être trouvée. Le contenu de l'eBook peut inclure des informations provenant de tiers. Les documents de tiers comprennent les opinions exprimées par leurs propriétaires. En tant que tel, l'auteur de l'eBook n'assume aucune responsabilité pour tout matériel ou avis de tiers.

TABLE DES MATIÈRES

INTRODUCTION

Le sucre est riche en calories, cause la carie dentaire, peut conduire à l'obésité et favoriser des maladies comme le diabète. L'Organisation mondiale de la santé OMS conseille tellement sur le fait que nous réduisons notre consommation de sucre. Cela ne devrait pas être plus de 6 cuillères à café par jour. Selon la Société allemande de nutrition (DGE), la consommation de sucres libres en Allemagne est bien supérieure à la recommandation, à savoir 61 g / jour pour les femmes et 78 g / jour pour les hommes. Mais comment réussir à économiser 10 cuillères à café et mettre en place un régime sans sucre ou faible en sucre au quotidien? \

Le problème est que presque tous les aliments contiennent du sucre, bien que sous des formes différentes: sucre de table (saccharose), sucre de raisin (glucose), fructose ... Il est donc assez compliqué d'éviter complètement le sucre.

Mais nous vous donnerons quelques conseils sur la façon dont vous pouvez toujours manger le moins de sucre possible

RÉGIME SANS SUCRE: EST-CE MÊME POSSIBLE?

Je n'utilise presque jamais de sucre pour sucrer, pourrait-on penser maintenant. C'est vrai, le sucre domestique pur n'est pas souvent utilisé dans la vie de tous les jours. Cependant, on le retrouve dans un grand nombre de plats cuisinés. Dans la pizza, par exemple, le pain, les yaourts aux fruits, les saucisses et bien sûr les bonbons, le chocolat, les gâteaux, les biscuits ... Et oui, la plupart d'entre eux mangent pas mal.

Un régime complètement sans sucre est difficilement possible et ne doit pas l'être. Ça ne doit pas être du tout! Parce que le sucre (mais seulement sous une certaine forme) est le carburant de notre corps, sans lui, nous ne pourrions pas vivre. Il est important que vous connaissiez les aliments contenant des sucres cachés et que vous les réduisiez.

Trop de sucre est nocif

AVERTISSEMENT, PIÈGE À SUCRE

Quiconque recherche des aliments 100% sans sucre sera déçu. Parce qu'il y a un peu de sucre dans presque tous les aliments. Néanmoins, il existe bien sûr des produits qui contiennent plus de sucre que d'autres: des bonbons, des glaces ou des gâteaux crient presque «sucre». Il est bon de réduire cela, mais pas suffisamment si vous voulez faire attention à un régime sans sucre ou faible en sucre.

Si vous voulez manger le plus possible "sans sucre", essayez de cuisiner vous-même le plus souvent possible et évitez les plats cuisinés. En préparant vous-même vos repas avec des produits frais et naturels, vous êtes assuré de réduire votre consommation de sucre.

RÉGIME SANS SUCRE: LA CUISINE FRAÎCHE EST UN MUST

Si vous achetez de tels produits, faites attention à la liste des ingrédients. Car derrière le sucre, il y a différents termes: glucose, fructose, maltose, maltodextrine, sirop, extrait de malt.

Le sucre n'est pas seulement un excellent support de saveur, il peut également être ajouté comme conservateur ou épaississant. Quiconque a déjà fait de la confiture sait à quel point la confiture peut être conservée merveilleusement longtemps en ajoutant du sucre ...

Ceux qui aspirent à un régime pauvre en sucre ou sans sucre devraient éviter ces aliments:

- Cornflakes et muesli prêt à l'emploi
- Pain blanc et pain grillé
- yaourt aux fruits
- Bonbons

- gâteaux et tartes
- Chips et bâtonnets de bretzel
- Ketchup
- Restauration rapide et plats cuisinés
- Boissons non alcoolisées

QUELLE EST LA BONNE SONT LES ALTERNATIVES DU SUCRE?

Préférez-vous utiliser des édulcorants ou du miel au lieu du sucre? Vous n'êtes pas obligé de vous passer complètement de douceur si vous souhaitez réduire votre consommation de sucre. Parce qu'il existe de nombreuses alternatives au sucre de table, par exemple le miel, le sirop d'agave, la stévia ou divers édulcorants. Chacun a ses avantages et désavantages:

Miel et sirop d'agave: contiennent également beaucoup de sucre, également riche en calories et peuvent entraîner des caries dentaires.

Stevia: est meilleure car elle contient 0 calories et est toujours naturelle. Le goût demande cependant de s'y habituer.

Par contre, évitez les édulcorants, ils font toujours l'objet de critiques.

Plus sain et moins de calories: voici encore plus d'idées pour de délicieuses alternatives au sucre!

Notre conseil: prenez du vrai sucre si vous voulez sucrer quelque chose, mais réduisez progressivement la quantité. Le citron, par exemple, a également un très bon goût dans le thé.

Le miel est-il vraiment plus sain que le sucre

Les meilleurs conseils pour un régime sans sucre

Souhaitez-vous essayer un régime pauvre en sucre ou sans sucre? Ensuite, il est préférable de s'en tenir aux conseils suivants:

Cuit le plus frais possible et n'utilise pas de produits finis.

Mangez aussi souvent que possible des aliments non transformés tels que des fruits, des légumes, de la viande, des œufs ou des flocons d'avoine. Le lait, le yaourt nature, le fromage blanc ou le fromage sont également de bonnes alternatives.

Élimine le sucre et les édulcorants dans les boissons

Buvez de l'eau et du thé aux herbes ou aux fruits au lieu de soda et de jus.

Apprenez à manger des bonbons avec plaisir - alors les fringales n'ont aucune chance et un morceau de chocolat suffit.

Régime sans sucre: petite expérience

Le sucre, c'est comme le sel: nos corps, et surtout nos papilles, s'habituent rapidement à «trop» de bonnes choses: ceux qui mangent beaucoup de sucre ont besoin de plus en plus de douceur pour un goût optimal.

En d'autres termes: vous adoucissez beaucoup plus fortement parce que tout le reste a un goût amer ou n'a pas le goût de rien.

Inversement, cela signifie également que si vous mangez peu de sucre, vous goûtez l'arôme beaucoup plus intensément et vous devez donc également l'adoucir moins.

Faites très attention à tout ce que vous mangez pendant une semaine. Notez tous les aliments riches en sucre et supprimez-les progressivement pour réduire votre consommation de sucre. Vous verrez: après quelques semaines, vous goûterez beaucoup plus clairement le sucre. Et une grande partie de ce que vous aviez goûté auparavant est soudainement trop sucrée ... Parfois moins c'est plus!

MUFFINS AUX COURGES

Portions: 1

INGRÉDIENTS

- 85 grammes   Beurre doux
- 90 grammes   Sirop (sirop de riz)

- ¼ pck. Poudre à pâte tartare
- 2 Des œufs)
- 50 grammes Semoule de maïs
- 50 grammes Farine de riz
- 70 grammes lait
- 100g Courgettes, râpées, laisser de côté le moelleux à l'intérieur
- ¼ cuillère à café Vanille en poudre (bourbon)
- 1 pincée (s) sel

PRÉPARATION

Préchauffer le four à 175 ° C,

séparer les œufs, battre le blanc d'oeuf avec une pincée de sel jusqu'à ce qu'il soit ferme, mélanger les ingrédients restants (je l'ai fait avec le mélangeur), incorporer le blanc d'oeuf (sans mélangeur).

La pâte doit avoir la consistance d'une pâte, peut-être un peu plus molle.

Tapisser un moule à 12 muffins de moules en papier et y répartir la pâte.

Temps de cuisson env. 30-35 minutes à 175 ° C

Ils sont super savoureux et juteux et ils n'ont vraiment pas le goût de courgettes.

Conseil:

Il aura certainement aussi bon goût avec des flocons de noix de coco.

JUPITER - GÂTEAU

Portions: 1

INGRÉDIENTS

Pour la pâte:

- 250 g Farine de blé (grains entiers)

- ½ cuillère à café levure chimique
- Des œufs)
- 150 grammes beurre ou margarine
- Pour la crème:
- 500 grammes Yaourt, lait entier, blanc
- ¼ litre Jus d'orange, non sucré
- ½ citron (s), le jus de celui-ci
- 4 jaunes d'oeuf
- 13 ml Édulcorant, liquide, env.
- 14 feuilles Gélatine, blanche
- 400 grammes Fruits (ananas, pêches, fraises, framboises, ...)
- 4e protéine
- 4 cuillères à soupe Biscottes - ou miettes de doigts de dame

Pour le casting:

- 6 feuilles Gélatine, blanche
- ⅛ litres Jus, non sucré, rouge foncé (cassis, cerise)

- ⅛ litres Jus, non sucré, rouge clair (groseille rouge, framboise)
- ⅛ litres Jus d'orange, non sucré
- Quelque chose d'édulcorant

PRÉPARATION

Le gâteau tire son nom du fait qu'il est marbré comme l'une des lunes de Jupiter.

Pétrir une pâte brisée à partir des ingrédients de la pâte (24 cm), laisser refroidir 30 minutes, étaler et tapisser le fond d'un moule à charnière tapissé de papier sulfurisé avec la pâte (ne pas relever le bord!), Piquer plusieurs fois à la fourchette et cuire à environ 180 ° C Cuire au four pendant 15-20 minutes, laisser refroidir.

Pour la garniture, mélangez le yaourt avec le jus d'orange et de citron. Battre les jaunes d'œufs dans un bain-marie jusqu'à ce qu'ils soient mousseux, incorporer au mélange de yaourt.

Faire tremper la gélatine, la presser, la dissoudre à feu doux, la laisser refroidir un peu, remuer uniformément avec une partie du mélange de yaourt et l'ajouter au reste du mélange de yaourt. Assaisonnez la crème avec un édulcorant liquide.

Battre le blanc d'oeuf avec un peu de jus de citron jusqu'à ce qu'il soit ferme et incorporer dès que la gélatine a pris.

Coupez les fruits en petits morceaux, veuillez ne pas utiliser de fruits frais pour les ananas! Pour les conserves, bien sûr, utilisez des produits pour diabétiques.

Pliez les fruits dans la crème.

Placez un anneau à gâteau autour de la base du gâteau et versez la moitié de la crème. Saupoudrez les miettes sur la crème, versez le reste de la crème sur le dessus. Réfrigérez pendant 2-3 heures.

Faites tremper la gélatine pour la garniture.

Chauffez les trois jus séparément et dissolvez 2 feuilles de gélatine dans chacune, si nécessaire, adoucissez avec un peu d'édulcorant, laissez refroidir à température ambiante, étalez sur le gâteau sur une grande surface et utilisez le dos d'une cuillère pour dessiner des stries à travers le divers jus pour créer une belle persillage. Réfrigérer pendant au moins 3-4 heures, de préférence toute la nuit.

Si vous voulez faire le gâteau avec du sucre, vous avez besoin d'environ 50 à 80 g pour la base et 200 g pour la crème.

CONFITURE DE BLEUETS FINES

Portions: 1

INGRÉDIENTS

- 300 grammes Myrtilles, fraîches ou surgelées

- 2 ½ cuillères à soupe de jus de citron
- 150 grammes Édulcorant (xylitol)
- 5 g d'Agartine
- 2 cuillères à soupe Rhum

PRÉPARATION

Mélanger les quatre premiers ingrédients, porter à ébullition et laisser mijoter environ 4 minutes. Retirer du feu et incorporer le rhum. Versez dans des bocaux et laissez reposer sur le couvercle pendant 5 minutes.

PLAT À LA BANANE

Portions: 4

INGRÉDIENTS

- 200 grammes quark faible en gras
- 3 Banane (s), mûres, selon la taille

- 100 ml Eau, froide
- Poudre de cannelle
- n. B. Noix, hachées
- Peut-être. Poudre de cacao
- Peut-être. Baies mélangées (TK)
- Peut-être. mon chéri

PRÉPARATION

Dans un grand bol, écraser les bananes pelées avec une fourchette. Versez le fromage blanc faible en gras et l'eau dessus et remuez le tout jusqu'à ce qu'il soit crémeux. Incorporer la cannelle. Verser dans des bols et saupoudrer de noix hachées au goût.

Variations:

Chocolat-Banane-Quark: Incorporer une cuillère à soupe de cacao en poudre déshuilé.

Quark aux bananes et baies: échangez une partie des bananes contre des baies surgelées. Éventuellement adoucir avec un peu de miel.

PETIT DÉJEUNER CHIA MANGUE CAROTTE

Portions: 1

INGRÉDIENTS

- 2 cuillères à soupe Graines de chia

- 170 ml Lait d'avoine (boisson à l'avoine), non sucré
- 1 petit Carotte
- 1 cuillère à café d'huile de chanvre, alternativement de graines de chanvre ou d'huile de coco
- ½ mangue (s), mûres
- n. B. Érythritol (succédané du sucre)

PRÉPARATION

Faites tremper les graines de chia dans le lait d'avoine pendant environ une demi-heure, en remuant de temps en temps.

Pendant ce temps, râpez finement la carotte et coupez la moitié d'une mangue mûre et pelée en cubes. Incorporer l'huile de chanvre ou les graines de chanvre (attention: l'huile de coco se solidifie lorsque le lait est froid) dans le lait d'avoine aux graines de chia, incorporer la carotte et la mangue, si nécessaire assaisonner avec de l'érythritol ou un autre édulcorant.

Lorsque la mangue est vraiment mûre, vous n'avez besoin d'aucun édulcorant supplémentaire.

Variante: banane au lieu de mangue. Vous pouvez également ajouter des flocons d'avoine ou du son. Si vous l'aimez plus "épicé", vous pouvez également ajouter une pincée de cannelle.

CHOCOLATS BRICOLAGE

Portions: 1

INGRÉDIENTS

- 100g Le beurre de cacao

- 1 cuillère à café de pâte de vanille ou la pulpe d'une gousse de vanille
- 100g Beurre d'amande ou beurre de cajou
- 40 grammes Xylitol (succédané de sucre) ou nB aussi sucre, sirop d'agave ou sirop de riz
- n. B. sel
- Aussi: (pour le chocolat noir)
- 35 grammes Poudre de cacao de bonne qualité

PRÉPARATION

Tout d'abord, le beurre de cacao est fondu au bain-marie. Ajoutez ensuite la pâte de vanille et le beurre d'amande et remuez bien. Ensuite, le succédané de sucre et le sel sont ajoutés et bien mélangés avec un fouet. Pour le chocolat noir, ajoutez le cacao en poudre. Enfin, le chocolat liquide est versé dans un moule en silicone approprié pour les pralines ou les barres de chocolat et placé au réfrigérateur pour durcir.

Note à tous ceux qui sont habitués au chocolat commercial: les pralines végétaliennes et sans sucre sont très riches et vous ne devriez pas en manger trop ici non plus. Cette recette de base peut être affinée avec des noix, des fruits secs et des épices moulues.

SALADE DE CONCOMBRE SPIRELLI

Portions: 3

INGRÉDIENTS

- 30 grammes huile d'olive
- 12 grammes Jus de citron

- 1 pincée (s) de piment d'Espelette
- 400 g de concombre (s)
- 5 grammes Érythritol (succédané de sucre), xylitol ou stévia
- 1 pincée (s) de poivre

PRÉPARATION

Couper le concombre en spaghettis de concombre à l'aide d'un coupe-spirale ou julienne, bien saler et laisser reposer 15 minutes pour que l'eau de concombre sorte et ne pas arroser la marinade.

Pendant ce temps, pour la marinade, fouettez ensemble 30 g d'huile d'olive, 1 pincée de piment d'Espelette, le xylitol, le poivre et le jus d'un citron.

Après 15 minutes, égouttez l'eau du concombre et égouttez bien les concombres et mélangez les concombres dans la marinade.

MATCHA NOIX DE COCO RAWNOLA

Portions: 1

INGRÉDIENTS

- 100g Noix de coco desséchée
- 100g Dates douces sans noyau

- ½ cuillère à café Poudre de matcha
- ½ cuillère à café cannelle

PRÉPARATION

Mettez tous les ingrédients dans un mixeur et hachez-les avec le robot culinaire. Versez la masse émiettée dans un verre scellable.

Le Rawnola est excellent comme garniture pour le muesli, le porridge et d'autres délicieux desserts.

Un petit conseil: la masse peut également être facilement façonnée en boules - idéal pour faire des bouchées énergétiques

POMMES ROSE BRUTES

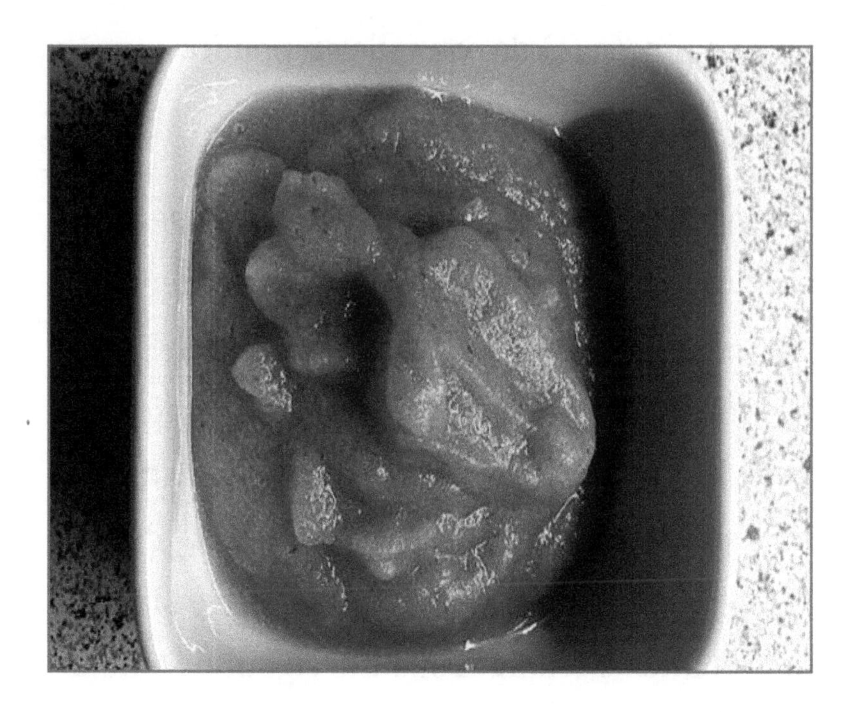

Portions: 2

INGRÉDIENTS

- 2 pommes à peau rouge
- 1 cuillère à soupe Sirop d'agave

- Citrons)
- 1 pincée (s) de cannelle en poudre

PRÉPARATION

Coupez les pommes avec la peau et sans la coque en petits morceaux. Ajouter au maximum un quart de citron à la pomme sans la peau, mais avec la peau blanche. Ajoutez un peu de jus de citron. Mettez le tout dans un mixeur haute performance, ajoutez de la cannelle en poudre et du sirop d'agave si vous le souhaitez. Mélangez ensuite vigoureusement jusqu'à obtenir une purée.

Remarque: la purée peut être laissée au réfrigérateur pendant quelques heures. Il a meilleur goût lorsqu'il est consommé immédiatement.

DATE CHOCOLAT

Portions: 1

INGRÉDIENTS

- 50 grammes Le beurre de cacao

- 50 grammes Poudre de cacao, légèrement déshuilée
- 100g Date coller ou dates

PRÉPARATION

Chauffez d'abord l'eau à 60 - 70 ° C (bouilloire), puis versez-la dans une casserole et placez un bol (sec à l'intérieur!) Dessus pour un bain-marie avec le beurre de cacao. Il ne vous reste plus qu'à attendre que le beurre de cacao soit complètement fondu.

Dans l'étape suivante, ajoutez la poudre de cacao et la datte (pâte). Mélangez le tout avec un mixeur plongeant, un mixeur, un fouet ou un multiquirl (selon que vous utilisez de la pâte de datte ou des dattes). Refroidissez le mélange et laissez-le refroidir à 28 ° C.

À l'étape suivante, chauffez la masse à 32 ° C (mais pas à plus de 50 ° C!). Pour ce faire, chauffez l'eau à 40 - 50 ° C, ajoutez-la à la casserole et déposez le mélange de chocolat avec le bol sur le dessus pour un bain-marie.

Maintenant, répartissez le chocolat dans des moules pralinés ou sur du papier sulfurisé ou similaire. Cuillère à café par cuillère. Le chocolat doit reposer jusqu'à ce qu'il durcisse.

CRÊPES AU MICRO-ONDES SANS FARINE

Portions: 1

INGRÉDIENTS

- 2 oeufs)

- Banana (substantif)

PRÉPARATION

Écrasez la banane avec une fourchette jusqu'à ce que le mélange soit pâteux. Le fait qu'il soit mou ou dur n'a pas d'importance ici. S'il est très dur, il est conseillé d'utiliser un mixeur ou de l'écraser avec un couteau. Ajouter les oeufs et bien mélanger.

Mettre la moitié dans un bol allant au micro-ondes avec un couvercle et un joint. Cuire à 600 watts pendant 3,5 minutes. Soyez prudent lors de l'ouverture car la vapeur est très chaude.

Faites de même avec le reste du mélange de banane et d'œuf.

Déposer sur une assiette et servir avec du sirop d'érable et des fruits si nécessaire.

Comme les crêpes ne sont pas frites, elles sont très légères mais ont le même goût.

CÉRÉALES FAIBLES EN CARBES

Portions: 1

INGRÉDIENTS

- 100g Gruau d'avoine, sans gluten

- 50 grammes Noisettes, hachées, rôties
- 50 grammes Amandes, hachées, blanchies
- 50 grammes Graines de tournesol
- 1 cuillère à soupe Farine de noyau d'abricot, amère
- 2 cuillères à soupe, entassées Noix de coco desséchée
- 2 cuillères à soupe, entassées Farine de lin
- 1 cuillère à soupe Sésame, noir
- 1 cuillère à soupe Graines de lin d'or
- 1 cuillère à soupe Gomasio

PRÉPARATION

Mélangez le tout, vous pouvez déterminer vous-même le montant.

Je prends 2 cuillères à soupe remplies du mélange de céréales pour ma tasse de yaourt maison.

SMOOTHIE AUX FRAISES ET AUX PÊCHES

Portions: 2

INGRÉDIENTS

- 250 g Des fraises

- 2 Pêche (s)
- 250 ml Lait d'avoine (boisson à l'avoine), par exemple B.Lait d'avoine Barista Art, peut-être plus

PRÉPARATION

Lavez les pêches et les fraises. Retirez le vert des fraises et le cœur des pêches. Coupez le tout en petits morceaux et mettez-le dans un mixeur. Ajoutez le lait d'avoine et mélangez le tout brièvement. Vous pouvez également bien réduire en purée avec un mélangeur à main.

Si ce n'est pas assez sucré, vous pouvez ajouter un peu d'édulcorant. Ajustez la quantité de lait d'avoine à votre goût. Certains aiment les smoothies plutôt fins, d'autres plutôt épais.

SMOOTHIE VEGAN AUX 3 FRUITS

Portions: 1

INGRÉDIENTS

- Banana (substantif)
- 90 grammes Groseilles, rouges

- ½ plus petit Pomme
- 160 grammes Yaourt à la noix de coco (alternative au yogourt)
- 150 ml Boisson aux amandes
- 1 cuillère à soupe Érythritol (substitut de sucre) ou édulcorant de votre choix
- 1 pincée (s) Vanille moulue

PRÉPARATION

Épluchez la banane et coupez-la en morceaux. Lavez la moitié de la pomme et n'enlevez que la tige et la fleur, également coupées en morceaux. Lavez les raisins de Corinthe et retirez-les de la tige avec une fourchette. Mettez les fruits et tous les autres ingrédients dans un mélangeur et mélangez pendant environ 1 à 1,5 minutes au plus haut niveau. Vous pouvez également réduire en purée avec un mélangeur à main. Ici, cependant, les grains des raisins de Corinthe restent entiers.

Pain grillé entier

Portions: 1

INGRÉDIENTS

- 50 grammes Eau (chaude

- 1 cuillère à soupe Érythritol (succédané de sucre) ou xylitol (succédané de sucre)
- ½ cube Levure
- 500 grammes Farine de blé entier
- 1 ½ cuillère à café sel
- 250 g Lait, tiède
- 50 grammes Margarine ou beurre, doux
- Quelque chose de margarine pour le brossage

PRÉPARATION

Pour la pré-pâte, mélangez l'eau avec l'érythritol et la levure, ajoutez une cuillère à soupe de farine au mélange et laissez le mélange lever dans un endroit chaud pendant un quart d'heure.

Mélanger la pré-pâte avec les ingrédients restants pour former une pâte et pétrir pendant environ 5 minutes jusqu'à ce qu'une pâte à levure douce et douce se forme. Cela ne devrait pas rester entre vos mains. Avant que la pâte ne repose dans le bol, graissez au préalable le bol. J'utilise un spray anti-cuisson pour cela, mais un peu d'huile devrait tout aussi bien fonctionner. Laisser lever la pâte dans un endroit chaud pendant 60 minutes.

Abaissez la pâte, qui a augmenté à environ deux fois sa taille, sur un plan de travail fariné en un rectangle, puis roulez-la pour former un grand rouleau de levure. Placez-le dans un moule à pain préalablement graissé, badigeonnez de margarine et laissez lever encore une heure dans un endroit chaud. Ma forme de boîte est de 28 cm x 11 cm.

Cuire la pâte à 170 ° pendant 30 minutes. Après la cuisson, badigeonnez à nouveau le pain de margarine et laissez-le refroidir sous un torchon. Donc, il reste agréable et doux à l'intérieur.

LIMONADE À LA FRAMBOISE

Portions: 1

INGRÉDIENTS

- 1 kg Framboises, surgelées
- 50 mlJus de citron vert ou jus de citron

- n. B. Stevia
- n. B. menthe
- n. B. basilic

PRÉPARATION

Porter à ébullition les framboises avec le jus de citron vert et laisser mijoter environ 30 minutes. Passez maintenant à travers un chiffon. Puis affiner avec de la menthe et du basilic et sucrer avec de la stévia. Laissez refroidir puis versez-le dans une bouteille.

La masse fait environ 700 ml de jus.

Puis ajoutez de l'eau minérale à boire. Le rapport de mélange est de 1 à 5.

BISCUITS SIMPLES AUX CAROTTES ET À LA BANANE

Portions: 2

INGRÉDIENTS

- 100g Farine

- 150 grammes gruau
- 1 pincée Poudre de stévia, env. 0,3 g
- 3 carottes, cuites, env. 200 grammes
- 2 Banana (substantif)
- 1 cuillère à soupe huile

PRÉPARATION

Mélangez les ingrédients secs. Réduisez en purée les carottes cuites avec les bananes. Ajouter 1 cuillère à soupe d'huile et pétrir avec le mélange sec. Si la pâte est trop liquide, ajoutez plus de farine.

Façonnez la pâte en boules, placez-les sur une plaque à pâtisserie avec du papier sulfurisé et appuyez à plat. Cuire au four à 180 ° C (chaleur haut / bas) pendant environ 35 minutes.

CRÈME GLACÉE AU YAOURT AUX SWIRLS DE RHUBARBE ET FRAISE

Portions: 1

INGRÉDIENTS

- 500 grammes crème

- 500 grammes Yaourt, 3,5%
- 120 grammes Édulcorant, (érythritol)
- 1 pincée Pulpe de vanille
- 500 grammes Des fraises
- 200 grammes Rhubarbe
- Quelque chose d'édulcorant, (érythritol)

PRÉPARATION

Chauffez 100 g de crème avec l'érythritol jusqu'à dissolution. Laisser refroidir. Fouetter le reste de la crème, incorporer le yogourt et la pulpe de vanille et incorporer le sirop de crème refroidi. Mettez le mélange au congélateur.

Nettoyez et hachez les fraises et la rhubarbe. Ajouter un peu d'érythritol (il vaut mieux commencer par un peu) et laisser bouillir le mélange jusqu'à ce qu'il ait la consistance de la confiture. Assaisonner à nouveau avec érythroïde. Laisser refroidir.

Le yaourt glacé doit être bien remué environ une fois par heure pour éviter la formation de cristaux de glace. Dès que la consistance de la crème glacée rappelle celle de la crème glacée molle (environ 3-4 heures), étalez uniformément le mélange fraise-rhubarbe dessus et marbre avec une cuillère. Laisser congeler à nouveau pendant au moins une heure. Donne environ 1500 g de crème glacée.

TARTINADE AU MARZIPAN AU CHOCOLAT ET À LA BANANE

Portions: 1

INGRÉDIENTS

- 150 grammes Banana (substantif)

- 1 cuillère à soupe Poudre de cacao
- 8ème Date (s), OU:
- 4e Figure
- 100g Noisettes
- 1 cuillère à café L'huile de colza
- 1 cuillère à café Sirop, (sirop d'agave)
- 1 cuillère à soupe Crème d'avoine
- 80 grammes Massepain
- 1 port. Tartinade, de la taille d'une noix, (Carobella)

PRÉPARATION

Mélangez le tout dans un batteur sur socle. Remplissez des verres.

RIZ - GÂTEAU À LA NOIX DE COCO SÉCHÉ

Portions: 1

INGRÉDIENTS

Pour le sol:

- 130 grammes Riz brun, moudre
- 70 grammes Sarrasin, moudre
- ½ cuillère à café Coriandre, avec mouture
- ½ sac / n de levure chimique
- 1 pincée (s) de sel
- 130 grammes Lait condensé, 10%, jusqu'à 150 g
- 70 grammes beurre

Pour couvrir:

- 200 grammes Noix de coco desséchée
- 680 grammes Lait condensé, 10%
- 70 grammes Riz brun, moudre
- ½ cuillère à café Coriandre, avec mouture
- 1 pincée (s) sel
- 2 cuillères à soupe Caroube, entassée cuillère à soupe

PRÉPARATION

Bien mélanger tous les ingrédients de la base, cela devrait donner une masse homogène, placer dans un moule circulaire de 26 cm recouvert de papier sulfurisé, lisser la base et un peu le bord avec elle, réserver.

Couvrant:

Faites légèrement griller les flocons de noix de coco, placez-les dans un grand récipient, travaillez avec un mélangeur à main (éventuellement un mélangeur) jusqu'à ce que la graisse sorte, vous pouvez également ajouter 1 boîte de lait condensé après environ la moitié du temps, mais fermez le couvercle, ce mélange et Mettez l'autre boîte de lait concentré dans le bol de mixage. Avec un fouet du robot culinaire, maintenant à pleine vitesse, remuer jusqu'à ce qu'il soit mousseux, ce n'est pas tellement dû à la graisse de la noix de coco. Mélangez le riz brun moulu et les grains de coriandre, une pincée de sel et 2 cuillères à soupe de caroube et versez dans le mélange de lait de coco et remuez encore 3-5 minutes à pleine vitesse.

Verser sur la base du gâteau de pâte, secouer jusqu'à consistance lisse.

Cuire au four froid à 150 ° C à air chaud pendant environ 75 minutes.

GÂTEAU PROTÉINÉ BODYBUILDER

Portions: 2

INGRÉDIENTS

- 150 flocons d'avoine
- 250 quark maigre

- 2 oeufs)
- 4 protéines
- 2 cuillères à soupe Poudre de blanc d'oeuf, saveur vanille, une autre saveur est également possible
- Banane (s), écrasée à la fourchette
- ½ cuillère à café Stevia

PRÉPARATION

Mettez tous les ingrédients dans un bol suffisamment grand et mélangez pour former une pulpe uniforme. Chauffez le bol à 600 watts pendant 11 minutes. Ensuite, laissez le gâteau refroidir un peu.

Le gâteau devrait également fonctionner au four, mais je ne l'ai jamais essayé, si vous l'avez essayé, vous devez absolument vous en tenir à lui et vérifier régulièrement l'évolution du gâteau.

Le résultat ne remportera certainement aucun prix de beauté, mais il sera extrêmement nutritif et sain. Pour les culturistes, il est idéal pour couvrir la teneur en protéines de la journée. Pour les personnes qui souhaitent perdre du poids, c'est une alternative possible aux bonbons sucrés et aux aliments qui font grossir.

Le gâteau a un goût légèrement sucré et est très copieux. Il peut être divisé idéalement et conservé au réfrigérateur pendant quelques jours, afin que vous puissiez en déguster 2 à 3 pièces par jour.

Je pense qu'il a meilleur goût avec du blanc d'œuf à la vanille, mais sur les photos, il a été fait avec du blanc d'œuf au chocolat.

GAUFRES SAINES À LA FARINE DE NOIX DE COCO

Portions: 4

INGRÉDIENTS

Pour la pâte:

- 60 grammes Huile de coco, native, température ambiante
- Huile de coco pour le graissage
- 40 grammes Érythritol (succédané de sucre)
- 80 grammes Farine de noix de coco
- 10 grammes Coques de psyllium
- 1 pincée (s) Sel gemme ou sel de mer, fraîchement moulu
- 1 cuillère à café de poudre de vanille Bourbon au besoin
- 2 cuillères à café de poudre à pâte tartare
- 240 ml Boisson à la noix de coco ou autre lait végétal sans sucre ajouté
- Pour la garniture:
- n. B. Framboises ou myrtilles
- n. B. Yaourt à la noix de coco (alternative au yaourt), naturel, avec quelques gouttes de stevia

PRÉPARATION

Dans un bol, mélanger l'huile de coco tiède et l'érythritol à la fourchette jusqu'à obtention d'une masse molle. Dans un autre bol, mélanger la farine de coco, les cosses de psyllium, la vanille, la levure tartare et le sel avec une cuillère à soupe. Ajoutez ensuite ce mélange de farine dans le bol avec l'huile de coco et l'érythritol et mélangez à la fourchette jusqu'à ce qu'il ait une consistance semblable à du sable humide.

Ajouter le lait végétal légèrement réchauffé - ou au moins tiède - et remuer. Je pense que la boisson à la noix de coco ou un mélange de boisson à la noix de coco et de lait d'amande fonctionne mieux.

Laisser reposer la pâte pendant environ trois minutes, en remuant de temps en temps, jusqu'à ce que le lait soit absorbé et qu'il n'y ait plus de grumeaux dedans. La pâte est relativement épaisse. Façonnez ensuite la pâte avec vos mains en quatre boules d'env. 100 g chacun.

Préchauffez bien le gaufrier. Graisser ensuite le gaufrier avec 1 cuillère à café d'huile de coco. Placez une boule de pâte légèrement au-dessus du milieu. Fermez le gaufrier et appuyez fermement jusqu'à ce que la pâte remplisse complètement le gaufrier, puis relâchez et faites cuire à puissance élevée pendant environ quatre minutes jusqu'à ce que la gaufre devienne brune. À la fin, laissez la gaufre refroidir pendant une minute pour qu'elle devienne vraiment ferme.

Enfin, garnissez de la garniture désirée. Je l'aime mieux avec des baies et du yaourt nature à la noix de coco avec quelques gouttes de stevia.

BISCUITS À L'ÉPELLE AVEC NOIX DE TIGRE, NOIX DE COCO, AMARANTH ET STEVIA

Portions: 1

INGRÉDIENTS

- 250 g Farine d'épeautre ou grains entiers

- 30 grammes Noix de coco desséchée
- 2 cuillères à soupe Erdmandel (n)
- 3 cuillères à soupe Amarante, sauté
- 1 cuillère à café levure chimique
- Des œufs)
- 2 cuillères à café Stevia avec Érythritol (Groovia)
- 1 pincée Stevia
- 100g beurre
- 2 cuillères à soupe Mus, (beurre d'amande) grossier

PRÉPARATION

Mélanger la farine avec les autres ingrédients secs, ajouter l'œuf, le beurre (froid) et le beurre d'amande et pétrir dans une pâte brisée. Réfrigérez-le au réfrigérateur pendant env. 1 heure. Abaisser la pâte, découper les biscuits et les déposer sur une plaque à pâtisserie tapissée de papier sulfurisé.

Préchauffez le four à 180 degrés et faites cuire les biscuits pendant environ 12 à 15 minutes.

Noter:

Soyez prudent avec l'adoucissement de la stévia. La douceur ne ressort vraiment qu'après la cuisson. Si un édulcorant est souhaité, il est préférable d'utiliser la pointe d'un couteau (vous pouvez également utiliser du xylitol ou du sirop d'agave). Essayez-le - la pratique rend parfait ici!

GÂTEAU AUX CAROTTES OU MUFFINS AUX CAROTTES

Portions: 3

INGRÉDIENTS

- 3 Carotte (s) (400-450 g)

- 3 g d'arôme, (Citroback)
- 4 protéines
- 4 g de farine de soja
- 2 cuillères à soupe l'eau
- 1 pincée cannelle
- 100g Farine, (farine de seigle entière)
- 1 cuillère à café de levure chimique
- 1 pincée (s) de sel
- 1 pincée (s) de clou de girofle en poudre
- 3 cuillères à café d'édulcorant

PRÉPARATION

Râpez finement les carottes et mélangez avec Citroback, mélangez la farine de seigle avec la levure chimique. Préchauffez le four à 180 degrés.

Préparez un substitut de jaune d'œuf à partir de farine de soja et d'eau et mélangez avec un édulcorant. Incorporer la cannelle, la poudre de clou de girofle, les carottes et le mélange poudre à pâte et farine. Battre les blancs d'œufs avec du sel jusqu'à ce qu'ils soient fermes et incorporer.

Versez la pâte dans un moule à muffins en silicone de 6 tasses ou un moule à gâteau en silicone et lissez-le. Cuire au four pendant 60 à 70 minutes (dans le moule à gâteau, plus court dans le moule à muffins, test de bâton!) Sur la grille du milieu. Laisser refroidir sur une grille.

Le gâteau est très moelleux et moelleux!

Remarque: vous pouvez utiliser 4 œufs entiers au lieu du blanc d'œuf, de la farine de soja et de l'eau.

Le chiffre calorique correspond à un muffins sur six.

BISCUITS À LA FRAMBOISE

Portions: 1

INGRÉDIENTS

- 200 grammes Farine
- 3 cuillères à café levure chimique

- 1 cuillère à café huile
- 150 grammes Framboises
- Des œufs)

PRÉPARATION

Mélangez la farine, la levure chimique et l'œuf jusqu'à ce qu'il devienne une pâte friable. Ajoutez ensuite l'huile.

Préchauffer le four à 160 degrés de chaleur haut / bas.

Façonner la pâte en boules et presser à plat. Cuire au four pendant 10 à 15 minutes.

Les cookies ne sont pas très sucrés. Si vous le souhaitez, vous pouvez ajouter un peu d'édulcorant ou de sucre.

MORCEAUX DE PÂTISSERIE COURTE AUX FRAMBOISES

Portions: 1

INGRÉDIENTS

- 140 grammes Édulcorant, (érythritol)

- 200 grammes margarine
- 300 grammes Farine
- 1 m. De grande pomme
- 1 poignée de framboises, surgelées ou fraîches
- 2 cuillères à café, nivelées. Poudre de crème pâtissière
- 1 cuillère à soupe Édulcorant, (érythritol)

PRÉPARATION

Pétrir la farine, la margarine et 140 g d'érythritol dans une pâte brisée et réfrigérer 30 minutes.

Épluchez la pomme, coupez-la en petits morceaux et mélangez-la avec les framboises. Saupoudrer de poudre de pudding et 1 cuillère à soupe d'érythritol et mélanger.

Abaisser finement la pâte refroidie et découper des cercles avec un grand verre. Placez un tas de garniture aux fruits sur la moitié des cercles, couvrez chacun d'un deuxième cercle et appuyez un peu sur le bord. Pour que la garniture ne s'écoule pas sur les côtés lors de la cuisson, grattez une ou deux fentes dans le cercle supérieur avant de recouvrir la garniture. Badigeonner d'un peu d'eau ou de lait et cuire à 175 ° C pendant environ 25-30 minutes.

BUNS FAIBLES EN CARBES, SANS GLUTEN

Portions: 1

INGRÉDIENTS

- 250 g quark faible en gras

- 4 grands Des œufs)
- 5 g de levure chimique

PRÉPARATION

Séparez les œufs et battez les blancs d'œufs jusqu'à ce qu'ils soient fermes.

Mélangez les jaunes d'œufs, le fromage blanc faible en gras et la levure chimique et ajoutez-les aux blancs d'œufs durement battus et

remuez bien.

Répartir la pâte en 10 gouttes sur une plaque à pâtisserie tapissée de papier sulfurisé.

Préchauffer le four à 180 ° C et cuire les petits pains sur la grille du milieu pendant environ 20-25 minutes, selon le bronzage souhaité.

Laissez refroidir les rouleaux et couvrez-les comme vous le souhaitez.

MACARONS À LA NOIX DE COCO

Portions: 25

INGRÉDIENTS

- 2 protéines

- 1 cuillère à café de cannelle
- 100g Noix de coco desséchée
- 1 pincée (s) de sel

PRÉPARATION

Mettez la noix de coco séchée dans une poêle antiadhésive et faites-la griller légèrement sans ajouter de matière grasse jusqu'à ce qu'elle commence à dorer. Remuez de temps en temps avec une cuillère en bois. Les flocons de noix de coco ne doivent pas devenir trop bruns. Si vous le souhaitez, vous pouvez mélanger la cannelle avec les flocons de noix de coco, puis retirer immédiatement la casserole du feu et laisser bien refroidir les flocons de noix de coco.

Battez les blancs d'œufs en neige ferme et ajoutez une pincée de sel. Le blanc d'oeuf doit être si rigide qu'il est stable. Si vous le coupez avec un couteau, la coupure doit rester visible, alors c'est juste.

Ajoutez progressivement les flocons de noix de coco et soulevez-les légèrement sous les blancs d'œufs avec un fouet, ne les battez plus, sinon la neige s'effondrera.

Préchauffer le four à 125 ° -130 °. Tapisser une plaque à pâtisserie de papier sulfurisé ou bien la graisser.

Coupez une petite quantité du mélange de noix de coco avec une cuillère à café et placez-la sur la plaque à pâtisserie. Il est préférable d'essuyer la masse avec une deuxième cuillère à café, de cette façon les macarons sont beaucoup plus faciles à façonner. Laissez suffisamment d'espace entre les tas de noix de coco car ils divergeront encore un peu pendant la cuisson.

Cuire au four préchauffé à 125 ° -130 ° pendant environ 25 minutes sur la grille du milieu, jusqu'à ce que les pointes commencent à dorer légèrement.

À la fin de la cuisson, laissez refroidir complètement les macarons à la noix de coco.

Comme ils sont préparés sans sucre, ils sont particulièrement faibles en calories et ont un goût délicieux comme la noix de coco.

MUFFINS AU MILLET BUCKWHEAT

Portions: 1

INGRÉDIENTS

- 50 grammes Sarrasin
- 200 grammes La farine de mil

- 80 grammes Lactose
- 100g Pomme
- 250 g Babeurre, tiède
- ½ cuillère à café Poudre à pâte tartare
- 1 pincée (s) de sel
- 1 poignée de flocons (flocons de sarrasin ou de millet)

PRÉPARATION

Mettre le sarrasin dans une poêle enduite et rôtir à puissance élevée pendant environ 2 à 3 minutes. Attention, si la casserole est chaude, elle va très vite.

Mélangez la farine de millet, le lactose, le sel et la levure chimique dans un bol. Ajoutez le sarrasin rôti. Coupez la pomme en petits morceaux et ajoutez-la également. Faites chauffer le babeurre et ajoutez-le aux ingrédients secs et mélangez. La pâte sera très liquide, alors ajoutez une poignée de flocons à la fin pour créer une masse visqueuse.

Répartir le mélange sur 10 moules à muffins de taille moyenne (en silicone, car ils collent dans des moules en papier) et cuire au four à env. 160-180 ° C (ventilé) pendant 45 minutes. Pour les grands moules à muffins, le temps de cuisson est de 60 minutes.

Le goût est très fort et ne convient pas à tous les palais. La farine de millet donne aux muffins un goût un peu amer, mais noisette.

MOUSSE AU CITRON FAIBLE EN CARBES ET ÉPOUILLES DE CURD AU CITRON

Portions: 1

INGRÉDIENTS

- 250 g quark faible en gras

- 250 g Fromage crème fraîche
- 250 g crème
- 130 grammes Édulcorant, (érythritol)
- 10 éclaboussures Édulcorant liquide
- Citron (s), le jus
- 3 ½ feuilles Gélatine
- 5 cuillères à soupe Caillé de citron, faible teneur en glucides

PRÉPARATION

Faites tremper la gélatine dans l'eau froide pendant 5 minutes.

Pressez le citron, portez doucement le jus avec l'érythritol à ébullition. L'érythritol fond dans le processus. Retirez le mélange du feu et laissez-le refroidir brièvement. Incorporer la gélatine jusqu'à ce qu'elle soit complètement dissoute.

Mélangez le fromage blanc maigre et la crème fraîche. Fouettez la crème jusqu'à ce qu'elle soit ferme. Pliez la masse de quark dans la masse de gélatine, cuillère à soupe à la fois, et remuez bien en tout temps. La masse est maintenant assez fluide. Incorporer délicatement la crème, ajouter l'édulcorant liquide au goût et laisser gélifier au réfrigérateur pendant environ 30 minutes.

Répartissez soigneusement le caillé de citron à faible teneur en glucides (http://www.chefkoch.de/rezepte/2631811413401139/Low-carb-Lemon-Curd.html) sur la mousse et le marbre avec une cuillère. Maintenant, laissez-le gélifier jusqu'à ce qu'il soit prêt, cela prend au moins 4 heures, de préférence pendant la nuit.

Les myrtilles vont particulièrement bien avec cela.

CHOCOLATS DE NOIX DE COCO FAIBLES EN CARBES

Portions: 1

INGRÉDIENTS

- 200 grammes crème

- 100g Mus, (noix de coco)
- 50 g d'édulcorant, (inuline)
- 50 g d'édulcorant (érythritol)
- 10 éclaboussures d'édulcorant liquide
- 150 grammes Noix de coco desséchée, fine

PRÉPARATION

Faites chauffer la crème, le beurre de coco, l'inuline et l'érythritol dans une petite casserole jusqu'à ce que tout soit fondu. Incorporer 100 g de noix de coco séchée au mélange chaud et ajouter 10 petites touches d'édulcorant liquide au goût. Alternativement, vous pouvez également prendre 15 gouttes de sucralose. Tapisser un moule à pain de papier d'aluminium ou de film alimentaire et verser le mélange.

Laisser refroidir au réfrigérateur toute la nuit. La masse doit être ferme, mais facile à couper. Sortez le mélange de noix de coco du moule à pain et coupez-le en carrés. Rouler soigneusement chaque carré dans la noix de coco séchée restante. Conserver au réfrigérateur.

PUDDING CHIA AUX POIRES ET À LA MENTHE POIVRÉE

Portions: 1

INGRÉDIENTS

- 180 ml thé à la menthe

- 2 cuillères à soupe Graines de chia
- 2 cuillères à café, nivelées. Xylitol (succédané de sucre)
- 1 cuillère à soupe gruau
- 1 petit Poire (s) mûre (s)

PRÉPARATION

Faites bouillir le thé à la menthe et laissez-le refroidir. Ensuite, les graines de chia et le sucre sont incorporés au thé. Laisser reposer 10 minutes puis ajouter les flocons d'avoine et remuer. Pendant ce temps, épluchez la poire, coupez-la en petits morceaux et incorporez-la également. Laisser reposer encore 5 minutes.

Peut également être préparé pour un petit-déjeuner rapide la veille. Si vous en avez ou si vous le souhaitez, vous pouvez également ajouter 2 à 3 feuilles de menthe fraîche.

MUESLI CROQUANT AU CHOCOLAT

Portions: 1

INGRÉDIENTS

- 110 grammes Flocons de soja

- 80 grammes Mélange de graines de laitue (graines de pin, tournesol et citrouille)
- 20 grammes Quinoa, soufflé
- 20 grammes graine de lin
- 50 grammes Amandes moulues
- 200 grammes Noix, hachées, par exemple B. noix, noisettes, arachides, noix de cajou
- 30 grammes flocons de maïs
- 40 grammes gruau
- 20 grammes Protéine en poudre (saveur chocolat)
- 25 grammes Poudre de cacao
- 4 protéines
- 2 cuillères à soupe mon chéri
- Peut-être. édulcorant

PRÉPARATION

Préchauffer le four à 150 ° C (chaleur haut / bas). Pesez tous les ingrédients secs et mélangez bien dans un grand bol.

Mélangez le blanc d'œuf, le miel et, si nécessaire, l'édulcorant jusqu'à ce qu'un mélange uniforme se forme. Versez sur les noix et mélangez bien le tout.

Répartissez le tout sur deux plateaux et mettez au four pendant environ une heure. Il est préférable de remuer à nouveau toutes les 15 minutes afin qu'aucun grumeau ne se forme - à moins que vous ne vouliez également de plus gros morceaux croquants - et que rien ne brûle.

Ensuite, laissez-le refroidir et savourez. Si vous le souhaitez, vous pouvez ajouter des fruits secs ou des pépites de chocolat lorsque le mélange a refroidi.

BOULES DE POMME ET CANNELLE

Portions: 1

INGRÉDIENTS

- 250 g Raisins secs

- 100g Croustilles de pomme (rondelles de pomme), séchées, molles
- 50 grammes Noix
- 1 cuillère à café de cannelle

PRÉPARATION

Mettez tous les ingrédients dans un mélangeur haute performance et mélangez jusqu'à ce que vous puissiez former des boules à partir du mélange. Façonnez le mélange en petites boules avec vos mains et laissez-les prendre au réfrigérateur.

Les boules peuvent être parfaitement stockées au congélateur.

PLAIT DE LEVURE FAIBLE EN GRAS AVEC STEVIA

Portions: 1

INGRÉDIENTS

- 300 grammes Farine

- 1 paquet. Levure sèche
- 2 pièces sucre vanillé
- 1 pincée (s) sel
- 150 ml Lait, tiède
- Jaune d'oeuf de 2 m.
- 30 g de beurre fondu
- 2 cuillères à café Stevia
- 1 éclaboussure Jus de citron
- 1 pincée Pulpe de vanille ou 3-4 gouttes d'arôme beurre-vanille
- 1 oeuf (s) de taille m

PRÉPARATION

Mélangez la farine, la levure sèche, une pincée de sel et le sucre vanillé dans un bol. Dans un deuxième bol, fouetter ensemble le lait, 2 jaunes d'œufs, la stevia, la pulpe ou l'arôme de vanille et le jus de citron. Versez cette quantité dans le premier bol avec les ingrédients secs et pétrissez en une pâte à l'aide du crochet pétrisseur du batteur à main ou du robot culinaire.

Ajouter le beurre fondu à la pâte et pétrir jusqu'à formation d'une pâte élastique qui ne colle plus au bol. Couvrir et laisser lever la pâte levée dans un endroit chaud pendant environ 30 minutes. Le volume de la pâte devrait environ doubler. Je préchauffe généralement mon four à 40 degrés, je l'éteins et je laisse la pâte lever dans le four éteint.

Pétrir à nouveau brièvement la pâte levée et la diviser en 3 portions. Façonnez les 3 portions en brins d'un diamètre d'env. 4 cm et faites une tresse. Les extrémités peuvent facilement être rentrées sous la tresse tressée. Placer la tresse sur une plaque à pâtisserie tapissée de papier sulfurisé et couvrir et laisser lever dans un endroit chaud pendant 30 minutes.

Fouettez un œuf et badigeonnez-en la tresse de levure. Si vous aimez un glaçage sucré, vous pouvez ajouter 30 à 40 g de sucre en poudre au mélange d'œufs. Cuire au four sur la grille du milieu à 180 ° C dans un four préchauffé pendant 20-25 minutes jusqu'à coloration dorée.

CHOCOLAT GRANOLA

Portions: 1

INGRÉDIENTS

- 2 tasses / n de gruau
- 1 ½ tasse / n   Noix, hachées

- 1 tasse Graines de tournesol
- ½ tasse Graines de citrouille
- 1 tasse graine de lin
- 4 cuillères à soupe sirop d'érable
- 90 grammes Huile de noix de coco
- 4 cuillères à café cannelle
- 15 grammes Poudre de cacao
- 1 pincée (s) sel
- Quelque chose de vanille (vanille bourbon)

PRÉPARATION

La tasse doit avoir une capacité de 150 ml.

Mélangez tous les ingrédients secs dans un bol. Préchauffer le four à 180 ° C haut / bas. Tapisser une plaque à pâtisserie de papier sulfurisé.

Faites chauffer l'huile de coco dans une casserole. Ajouter le sirop d'érable et remuer jusqu'à ce que l'huile de coco soit complètement fondue. Ajouter le liquide aux ingrédients secs et bien mélanger. Étalez le mélange sur la plaque à pâtisserie et répartissez-le bien.

Faites cuire le muesli au four préchauffé pendant 30 à 40 minutes, selon le degré de brunissement souhaité. Retournez le muesli toutes les 10 minutes pour qu'il devienne uniformément croustillant.

Laissez refroidir le muesli. Il se conservera plusieurs semaines dans un contenant fermé.

CRÈME NICE AVOCADO - DIFFÉRENTES VARIATIONS

Portions: 2

INGRÉDIENTS

- ½ pomme

- Avocat (s) 1 m. De large
- 3 cuillères à soupe Jus de citron vert, fraîchement pressé
- 150 ml Lait de coco
- 2 Nectarine (s), TK
- 1 poignée de fruits, savoirs traditionnels
- 1 cuillère à soupe Myrtilles, savoirs traditionnels

PRÉPARATION

Épluchez d'abord l'avocat et hachez grossièrement la pomme. Mettre le jus de citron vert et 75 ml de lait de coco dans un mixeur. Mettez trois tranches de nectarine de côté pour la décoration et ajoutez également le reste. Réduisez tout en purée. La moitié du mélange peut maintenant être versée dans un bécher.

Pour la deuxième variante, mettez la poignée de baies et le reste du lait de coco dans le mélangeur et réduisez en purée jusqu'à l'obtention d'un mélange crémeux. Ajoutez plus de lait de coco s'il ne se mélange pas ou s'il est trop épais. La deuxième variante est maintenant également prête.

Décorez les deux variantes de la belle crème avec des myrtilles surgelées et des tranches de nectarine et servez immédiatement. La menthe comme décoration est également délicieuse et rafraîchissante.

Astuce: s'il n'y a pas de fruits surgelés, ajoutez des glaçons pour obtenir une crème crémeuse optimale.

Sinon, préparez, congelez et si vous avez faim de quelque chose de sucré, laissez-le à température ambiante pendant 10 minutes et versez-le à la cuillère.

TARTINADE AUX FRAISES ET MANGUE

Portions: 1

INGRÉDIENTS

- 500 grammes Fraises, préparées et pesées

- 100g Mangue (s), congelée (s), non sucrée
- 300 grammes Gélifiant au sucre de bouleau (xylitol, p.ex. Borchers)

PRÉPARATION

Coupez grossièrement les fraises nettoyées et égouttées et placez-les dans une casserole haute avec les mangues décongelées coupées en dés et la purée. Mélanger avec le gélifiant et porter le mélange à ébullition. Selon les instructions sur l'emballage, laissez bouillir pendant environ 3 minutes en remuant.

Versez les fruits à tartiner dans des bocaux préparés et stérilisés pendant qu'ils sont encore chauds et fermez.

Veuillez noter les instructions sur l'emballage de l'aide gélifiante.

GRANOLA FAIT MAISON

Portions: 3

INGRÉDIENTS

- Banana (substantif)

- 3 cuillères à soupe Huile de coco fondue
- 100g Gruau d'avoine, sans gluten
- 100g Amandes, hachées
- 1 cuillère à café Poudre de cannelle

PRÉPARATION

Préchauffer le four à 150 ° C haut / bas.

Épluchez la banane et réduisez-la en purée avec l'huile de coco. Ajoutez tous les autres ingrédients et mélangez bien avec vos mains.

Étaler sur une plaque à pâtisserie tapissée de papier sulfurisé et cuire au four sur la grille du milieu pendant environ 25 minutes jusqu'à coloration dorée. Tournez entre les deux pour que rien ne brûle.

SOUPE AUX ÉPINARDS ET NOIX DE COCO

Portions: 2

INGRÉDIENTS

- 1 cuillère à soupe Huile d'olive vierge
- 300 grammes Épinards, savoirs traditionnels
- 400 grammes Lait de coco
- n. B. poivre
- 6e Figue (s), séchée
- 1 tasse Yaourt de chèvre, grec, env. 200 grammes

PRÉPARATION

Faites chauffer l'huile d'olive dans une casserole moyenne. Mettez les épinards surgelés dans la poêle et faites-les frire brièvement jusqu'à ce qu'ils soient décongelés. Ajouter le lait de coco et cuire à feu doux pendant 10 minutes jusqu'à ce que les épinards soient décongelés. Réduisez en purée avec le

Stabiler jusqu'à obtenir une soupe crémeuse. Assaisonner de poivre.

Servir avec les figues sèches et le yogourt de chèvre.

SPAGHETTI AUX BOULETTES DE VIANDE

Portions: 4

INGRÉDIENTS

- 250 g Spaghetti de blé entier

- Pour les boulettes:
- 500 grammes Le bœuf haché
- Herbes italiennes
- sel et poivre
- Basilic, env. 2 à 3 g
- Oeufs (optionnel
- 2 cuillères à soupe Huile d'olive pour la friture
- Pour la sauce:
- 1 grand Oignon (substantif)
- Gousses d'ail)
- 1 grand Poivrons rouges)
- 1 m.-large Aubergine (substantif)
- 1 m. De grande carotte
- 8 m.-large tomate de vigne (substantif)
- 2 cuillères à café moutarde
- Citron (s), son jus
- 8 cuillères à soupe Pâte de tomate
- poivre de Cayenne
- 4 feuilles de laurier

- 9 grains de poivre
- 120 grammes Parmesan râpé
- 7 grammes basilic

PRÉPARATION

Lavez les tomates et retirez la tige, ainsi que grattez un motif en croix sur la surface, en entier.

Épluchez la carotte, l'oignon et l'ail. Lavez l'aubergine, la carotte et le poivre. Hachez finement les feuilles de basilic. Hachez grossièrement 1/3 de la carotte, les oignons et l'ail et 1/8 du poivron.

Pour le bouillon de légumes, coupez le reste des légumes en bouchées de votre choix. Portez maintenant l'eau à ébullition, ajoutez les feuilles de laurier, un peu de sel, les grains de poivre et les restes d'oignon, de paprika, de carotte et d'aubergine et laissez mijoter.

Faites cuire les tomates dans un autre récipient pendant 4 à 5 minutes, puis pelez-les et coupez-les en huit.

Mélangez la viande hachée avec du sel, du poivre, un peu de basilic (environ 2 à 3 g) et des herbes italiennes dans une casserole. Si vous le souhaitez, vous pouvez ajouter 1 œuf, le mélange tiendra mieux. Mélangez ensuite le tout et formez-en des boulettes rondes.

Faites-les ensuite frire dans une poêle avec 2 cuillères à soupe d'huile d'olive, en les retournant au bout de 3 à 4 minutes.

Faites cuire les pâtes selon les instructions sur l'emballage.

Réservez les boulettes de viande.

Pour la sauce, faire revenir les légumes grossièrement hachés (sauf les aubergines) dans cette poêle pendant 3 à 4 minutes.

Incorporer la pâte de tomate, le jus de citron et la moutarde. Ajouter les tomates et faire frire encore 3 à 4 minutes. Remplissez le tout avec 200 ml de bouillon de légumes filtré et purée.

Remettez le reste des ingrédients, toutes les épices et les boulettes dans la sauce et laissez mijoter pendant 15 minutes.

Pendant ce temps, faites revenir l'aubergine dans une poêle avec un peu d'huile d'olive et servez avec des pâtes, des feuilles de basilic et du parmesan.

WRAPS DE PÉPILLE DE POULET

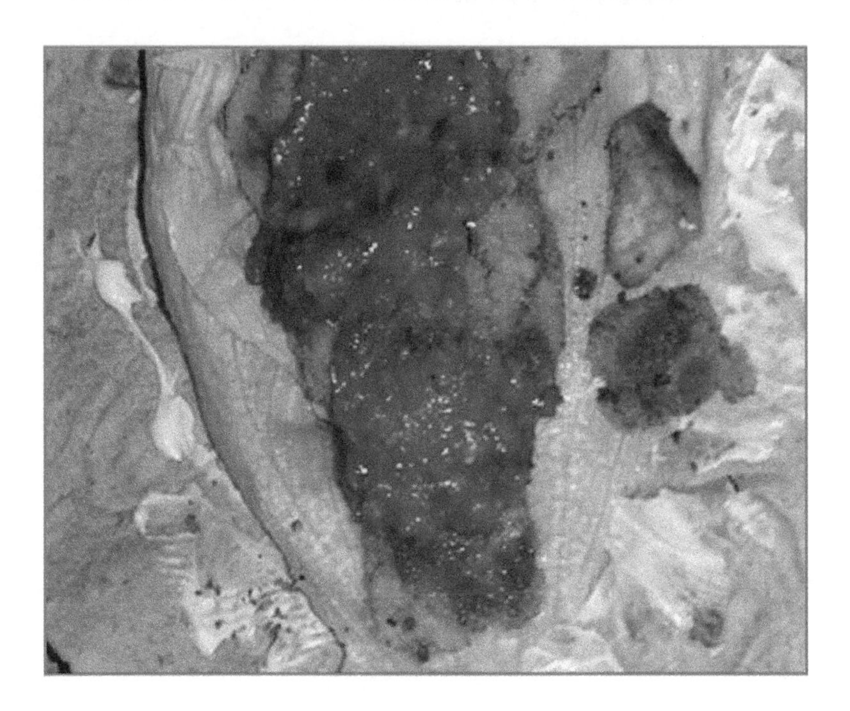

Portions: 2

INGRÉDIENTS

- 3 Wrap (s) (multigrains ou grains entiers)

- Pour les pépites:
- 300 grammes poitrine de poulet
- ¾ tasse Farine de blé entier
- 1 tasse Chapelure (le pain complet est le meilleur) ou 1 petit pain complet rassis
- Des œufs)
- sel et poivre
- Poudre de paprika
- 1 cuillère à soupe huile d'olive
- 1 cuillère à soupe beurre
- Pour couvrir:
- Laitue iceberg
- 2 grands Tomate de vigne (substantif)
- 3 m. De large Cornichons)
- 1 m. De large Oignon (substantif)
- Pour la sauce: (sauce aigre-douce)
- 2 petits Poivrons rôtis ou piments forts (selon la sensibilité à la chaleur)
- ¼ Apple de votre choix

- 1 orteil / n Ail
- ½ petit Shallot (substantif)
- 4 pièces) Gingembre env. 1 x 1 cm
- 1 pièce (s) Raifort, env. 1 x 1 cm
- ½ cuillère à café Vinaigre balsamique ou de riz
- 1 petit Piment (s) de piment séché
- 1 cuillère à café huile de sésame
- 1 cuillère à soupe huile d'olive
- 1 ½ Citron (s), son jus
- 1 ½ cuillère à café Pâte de tomate
- 3 petits Tomate datte (substantif)
- ½ cuillère à café mon chéri
- 1 cuillère à café sauce soja
- sel et poivre
- quelque chose de poudre de chili
- Pour la crème: (crème sure)
- 1 tasse de crème sure, env. 150 à 200 g
- ¼ cuillère à café de sel, env.

- ¼ cuillère à café de poudre de paprika, env.
- ¼ cuillère à café de cumin, env.
- ¼ cuillère à café Coriandre, env.
- ¼ cuillère à café Piment, env.
- ¼ cuillère à café Curcuma, env.
- n. B. Persil haché
- n. B. herbes de Provence

PRÉPARATION

Pour la sauce, lavez d'abord les poivrons et la pomme. Épluchez l'ail, l'échalote, le gingembre, le raifort et la pomme. Hachez finement l'ail, l'échalote, le poivron, le gingembre, le raifort et la pomme. Saisir tout - sauf la pomme - dans le sésame et l'huile d'olive. Ajouter la pâte de tomate et incorporer le reste des ingrédients. Hachez également les tomates et ajoutez-les. Mélanger avec environ 25 ml d'eau. Réduire en purée et retirer du feu.

Coupez la viande en morceaux d'env. 0,5 cm d'épaisseur (longueur et largeur comme une pépite normale). Construisez une ligne de chapelure avec de la farine, des œufs et de la chapelure (si nécessaire, utilisez un petit pain complet avec une râpe grossière pour la chapelure). Assaisonnez l'œuf avec du sel, du poivre et du paprika et fouettez. Panez les morceaux de viande. Faire frire dans une poêle avec 1 cuillère à soupe de beurre et 1 cuillère à soupe d'huile d'olive des deux côtés à feu moyen pendant environ 3 à 4 minutes.

Pour le wrap, lavez les tomates et coupez-les en fines tranches. Coupez les cornichons en fines tranches. Lavez la laitue iceberg et arrachez les feuilles. Épluchez l'oignon et coupez-le en fines rondelles.

Pour la crème sure, mélangez la crème sure avec toutes les épices (environ 1/4 cuillère à café par épice) pour la crème.

Maintenant, remplissez les enveloppes comme vous le souhaitez.

GÂTEAU AUX POMMES MANDARINES POUR LE BBA

Portions: 1

INGRÉDIENTS

- 20 grammes Poudre de stévia

- 80 grammes Beurre doux
- 1 grand Des œufs)
- 150 ml Jus multivitaminé
- 70 grammes Raisins secs ou raisins secs
- 2 petits Pommes, env. 150 g de mélange râpé
- 1 grand Mandarin (s), coupé en dés
- 1 cuillère à café Zeste de mandarine
- 350 grammes Farine de blé type 405
- 1 sac levure chimique
- Quelque chose de gras pour la poêle, par exemple un aérosol ou du beurre

PRÉPARATION

Vaporiser le moule à pain avec un aérosol ou tartiner de beurre.

Mettez la stévia, le beurre très mou, l'œuf, les pommes râpées, le zeste de mandarine, les mandarines et les raisins secs dans le plat de cuisson.

Placer le BBA sur la cuisson avec pétrissage ou sur la pâte. Ajouter la farine et la levure chimique. Ajouter le jus de multivitamines jusqu'à ce qu'il ait la consistance d'une pâte à gâteau molle, la pâte à pain est trop ferme.

Fermer le couvercle et laisser allumer pendant environ 1 heure lors de la cuisson sans pétrir.

Lors de la cuisson dans un four préchauffé à 180 ° C haut / bas ou 160 ° C à l'air chaud, cuire au four pendant env. 50 minutes sur la grille du milieu.

VINSCHGERL DE BAVARIE

Portions: 1

INGRÉDIENTS

- 180 ml Babeurre
- 150 ml Eau, tiède

- 5 éclaboussures Maggi ou Maggi-Hot
- quelque chose Vert fenouil
- n. Gousses d'ail)
- 5 g d'extrait de levain (poudre)
- 1 cuillère à café de poudre de livèche
- 2 cuillères à café Graine de carvi
- 1 cuillère à café de coriandre en poudre
- 20 grammes Sel de mer, gros
- 2 cuillères à café Poudre de stévia
- 200 grammes la farine de seigle
- 100g Farine de blé entier
- 1 sac Levure sèche
- Farine à saupoudrer

PRÉPARATION

Mélangez d'abord les liquides avec l'extrait de levain et les épices sèches. Ajoutez Maggi ou Maggi-Hot. Dissoudre le sel de mer et la stévia dans le liquide.

Hachez très finement le fenouil vert avec les petites branches. Presser ou hacher finement l'ail dans un presse-ail et ajouter au liquide.

Mélanger la farine de seigle, la farine de blé entier et la levure sèche et verser dans la cuillère à soupe de liquide par cuillère en remuant jusqu'à formation d'une pâte très molle (ajouter de l'eau si nécessaire). Mettre la pâte en portions à l'aide d'une cuillère sur une plaque à pâtisserie tapissée de papier sulfurisé. Retourner 6 morceaux de taille égale et étaler à plat avec une cuillère et saupoudrer de farine (ne pas conserver avec de la farine).

Laisser lever dans un four chaud à max. Chauffer à 50 ° C par le haut / le bas pendant environ 30 minutes. Chauffez ensuite à 180 ° C et faites cuire les Vinschgerl pendant environ 30 à 40 minutes jusqu'à ce qu'ils aient une belle croûte brune.

Conseil: vous pouvez faire le test de la fourchette peu de temps avant la fin du temps de cuisson. La fourchette ne doit plus pénétrer le pain avec une légère pression, mais la croûte doit bouger facilement.

Sortez le Vinschgerl fini du tuyau et laissez-le refroidir sur une grille ou un torchon.

Ce n'est pas l'original, mais il a disparu rapidement.

Étant donné que certaines épices et ingrédients ne peuvent pas être achetés dans un supermarché normal (par exemple Schabzigerklee), j'utilise des substituts ménagers.

CAFÉ - GÂTEAU ARUSAN

Portions: 1

INGRÉDIENTS

- 750 g Quark (quark faible en gras)
- 200 grammes Amande (s), sucrée +

- 20 grammes Amande (s), amère (s), torréfiée +
- 200 grammes Graines de tournesol, torréfiées + moulues
- 250 g Grains de maïs, moulus
- 7e Œuf (euh), séparé
- Édulcorant, liquide, pour 250 g de sucre
- 2 prix sel
- 2 cuillères à soupe Poudre de cacao sans sucre
- 3 cuillères à soupe Café en poudre, noir, (ex: turc)
- 5 cuillères à soupe Rhum, 54% ou plus

PRÉPARATION

Mélangez tous les ingrédients sauf le blanc d'œuf. Incorporez ensuite le blanc d'oeuf, battu jusqu'à ce qu'il soit ferme avec une pincée de sel. Cuire au four froid à 160 ° pendant environ 90 à 100 minutes. Préchauffer à feu supérieur et inférieur à env. 180 ° + cuire au four env. 70 à 80 minutes.

Remarque: si vous prenez du sucre (de canne entier) au lieu d'un édulcorant, augmentez également le liquide, il doit être aussi fin qu'une pâte par la suite, de préférence un peu plus. Mieux vaut ouvrir. L'eau minérale gazéifiée convient particulièrement.

CRÈME À L'AVOCAT GUACAMOLE

Portions: 2

INGRÉDIENTS

- Avocat (s), env. 200 grammes

- 1 cuillère à café Mayonnaise, sans sucre
- 1 cuillère à café Moutarde, sans sucre
- sel et poivre

PRÉPARATION

Coupez l'avocat en deux, retirez le noyau (gardez le noyau!) Et écrasez la chair avec une fourchette jusqu'à ce qu'elle soit crémeuse. Assaisonner de mayonnaise, moutarde, poivre et sel.

Pour éviter que la crème d'avocat ne brunisse, placez le cœur au milieu de la crème et pressez à moitié.

En variante, vous pouvez incorporer de très petites tomates en dés à la crème.

La crème a bon goût en trempette avec des copeaux de peau de porc à faible teneur en glucides.

100 g de crème d'avocat contiennent 0,4 g de glucides.

TROPIC SHAKE AU BEURRE

Portions: 4

INGRÉDIENTS

- 700 ml Jus de fruits (orange-pêche-fruit de la passion), sans sucre

- 500 ml Babeurre
- 100 ml Jus de pamplemousse, sans sucre
- Stevia, liquide

PRÉPARATION

Mélangez le jus avec le babeurre dans un mixeur. Assaisonnez le shake tropique avec un édulcorant. Garnir de pamplemousse frais ou de quartiers de citron si désiré.

GÂTEAU AU CHOCOLAT JUICY LOW CARB ELA'S - GÂTEAU PORNO

Portions: 1

INGRÉDIENTS

- 250 g beurre

- 150 grammes Chocolat noir, sans sucre
- 5 Œuf (s), taille M
- 150 grammes Xylitol (succédané de sucre)
- 25 grammes Cacao à cuire
- 50 grammes Amandes moulues
- 7 grammes levure chimique
- Du gras pour la forme
- Pour la ganache:
- 100g Chocolat noir, sans sucre
- 100 ml Crème fouettée

PRÉPARATION

Faites fondre 150 g de chocolat et le beurre au bain-marie. Battre les œufs et le xylitol pendant environ 2 minutes jusqu'à ce qu'ils soient mousseux. Ajouter le cacao, les amandes moulues et la poudre à pâte au mélange mousseux et remuer brièvement. Ajouter la masse de beurre-chocolat fondu et remuer pendant 3 minutes à la vitesse la plus élevée jusqu'à ce qu'elle soit crémeuse.

Graisser le moule à charnière (28 cm) et ajouter la pâte et lisser légèrement. Placez maintenant dans le four préchauffé sur la grille du milieu et faites cuire au four pendant environ 30 minutes.

Après la cuisson, sortez le gâteau du four et laissez-le refroidir dans le moule à charnière pendant environ 30 minutes. Après le temps de refroidissement, sortez le gâteau du moule à charnière.

Pour le glaçage, porter brièvement la crème à ébullition et y faire fondre le reste du chocolat. Versez le glaçage sur le gâteau et lissez-le. Refroidissez le gâteau pendant environ 1,5 heure pour que le glaçage durcisse.

ROULEAUX DE PETIT DÉJEUNER MORTADELLA

Portions: 1

INGRÉDIENTS

- 8 tranches / n Mortadelle, fine, italienne, sans sucre

- 2 oeuf (s), cuit
- 1 tranche / n de Gouda, tranché finement, 30 g chacun
- Quelque chose de mayonnaise, sans sucre, par exemple B. Thomy Tube, 0,1 g KH

PRÉPARATION

Épluchez et coupez les œufs en quartiers. Coupez la tranche de Gouda en 4 lanières.

Placer 2 tranches de mortadelle l'une sur l'autre et garnir d'une bande de mayonnaise. Placez une bande de Gouda à côté. Presser 2 quartiers d'œufs côte à côte sur la mayonnaise. Façonnez le tout en un rouleau, disposez-le de manière décorative et dégustez.

Ma mortadelle (Mondo Italiano, Netto) est sans sucre et n'a donc pas de KH. 8 tranches pèsent 150 g. Lors de l'achat, assurez-vous qu'il s'agit de mortadalla italienne, généralement sans sucre.

CRÈME FORÊT NOIRE

Portions: 8

INGRÉDIENTS

- 36 bisous au chocolat (de préférence sans sucre)

- 1 litre Crème fouettée
- 1 000 g quark faible en gras
- 3 verres de griottes

PRÉPARATION

Égouttez bien 3 verres de cerises et fouettez la crème. Séparez les baisers au chocolat des gaufres et conservez les gaufres.

Mettez la masse de chocolat, le fromage blanc et les cerises dans un grand bol et mélangez. Incorporez la crème fouettée.

Décorez avec les gaufres au chocolat juste avant de servir.

PETIT DÉJEUNER GAUFLE CŒUR DE LA VALENTIN FAIBLE EN CARBES

Portions: 1

INGRÉDIENTS

- 65 g amande (s), blanchies, moulues
- 2 oeufs)
- 20 g de xylitol (succédané de sucre) ou d'érythritol
- ½ cuillère à café levure chimique
- Quelque chose de beurre ou d'huile pour graisser
- 8 cuillères à café Pâte à tartiner aux fraises, sans sucre
- 4 cuillères à café de crème de noix et de nougat, sans sucre
- 2 cuillères à café Xylitol (succédané de sucre), moulu (comme le sucre en poudre)

PRÉPARATION

Faites chauffer le gaufrier.

Pendant ce temps, mettez les 4 premiers ingrédients ensemble dans un grand récipient et mélangez avec le mixeur plongeant. Dès que le gaufrier est chaud, graissez et versez la pâte par portions. Cuire 2 gaufres jusqu'à ce qu'elles soient dorées.

Pour la tour à gaufres, coupez les cœurs individuels des gaufres comme indiqué sur l'image. Étalez une cuillère à café de fruits à faible teneur en glucides sur quatre cœurs et empilez 5 cœurs les uns sur les autres.

Si vous le souhaitez, faites chauffer légèrement la crème de nougat et étalez-la sur la tour en sauce. Répartissez également la poudre de xylitol sur le dessus.

CONCLUSION

Il existe différentes approches pour un régime sans sucre: alors que certains évitent en particulier le sucre industriel, d'autres omettent tous les types de sucre. Pour certains, les fruits secs sont autorisés, d'autres sont plus stricts, car après tout, les fruits secs contiennent naturellement beaucoup de sucre. En gros, chacun peut décider par lui-même où fixer les limites d'un régime sucré.

Pour nous, «vivre sans sucre» signifie avant tout renoncer au sucre ménager traditionnel et éviter tous les aliments avec du sucre libre ou ajouté. De plus, avec un régime sans sucre, il est important de cuisiner autant que possible avec des aliments frais et non transformés. Lors de vos achats, vous devez choisir vos aliments consciemment.

De nombreux aliments contiennent également du sucre naturellement. Dans les fruits sous forme de sucre de fruits (fructose). Dans le lait sous forme de sucre du lait (lactose). En conséquence, il est presque impossible de suivre un régime sans sucre. Cependant, avec l'aide de la bonne sélection d'aliments et de quelques conseils simples, vous pouvez contrer l'augmentation de la consommation de sucre au quotidien.

Conseils pour une vie quotidienne sans sucre

Souhaitez-vous commencer immédiatement avec le défi «sans sucre»? Enfin, nous avons rassemblé quelques conseils pour vous aider à démarrer votre vie sans sucre.

Vivez sans sucre - avec ces 11 conseils, cela fonctionne:

Sevrer lentement le sucre - plus nous consommons de sucre, moins notre goût y sera sensible au fil du temps. Nous pouvons profiter de cette habitude, car cela fonctionne aussi dans l'autre sens: si, par exemple, nous réduisons progressivement la quantité de sucre dans le café, la perception s'ajuste à nouveau au bout de quelques semaines, et nous nous en sortons avec beaucoup moins de douceur. .

Remplacez le sucre domestique pièce par pièce - il est préférable de vous fixer au début de petits objectifs auxquels vous pouvez vous tenir. Dans un premier temps, vous pouvez remplacer le sucre domestique par du sucre de fleur de coco, par exemple. Et quand il s'agit de pâtisserie, ce qui suit s'applique: expérimentez avec moins de sucre, surtout quand il s'agit de fruits. Parce qu'ils apportent naturellement beaucoup de douceur avec eux.

Évitez le sucre caché - les aliments transformés du supermarché tels que les sauces, les vinaigrettes ou les plats cuisinés sont souvent riches en sucre. Faites-le vous-même est la meilleure alternative pour économiser le sucre.

Mangez-vous vraiment plein - Vous cherchez souvent quelque chose de sucré parce que vous avez encore faim. Pour éviter que cela ne se produise, vous devriez vous manger vraiment plein avec le plat principal. Surtout, mangez beaucoup de protéines de poisson, de viande, de produits laitiers naturels, d'œufs et de soja et beaucoup de glucides lents provenant de produits à grains entiers, de légumineuses et de légumes. Découvrez les meilleurs aliments riches en protéines ici.

N'achetez rien de sucré - Vous ne pouvez pas manger ce que vous n'avez pas à la maison. Cette astuce vaut son pesant d'or et évite certaines fringales.

Trouvez des collations alternatives sans sucre - Si vous mangez moins de glucides dans l'ensemble, votre désir de grignoter entre les deux diminuera avec le temps. Et si cela doit être une collation, il vaut mieux utiliser des noix, des olives ou un morceau de chocolat noir. Assurez-vous de choisir du chocolat sans sucre, sans sucre ajouté et contenant 70 à 99% de cacao.

Ne faites pas vos courses avec faim - C'est un conseil bien connu qui vous aidera à éviter les fringales et les achats spontanés associés.

Incluez ceux qui vous entourent - pourquoi ne pas simplement manger une salade de fruits au lieu d'un gâteau lors de la prochaine réunion de famille? Pourquoi ne pas acheter du muesli sans sucre au bureau? Au final, tout le monde en profite. \

La préparation est la moitié de la bataille - le fait que vous vouliez prendre une collation lors d'une soirée cinéma, par exemple, en fait partie. Et si vous vous prépariez simplement une collation saine et sans sucre pour résister au pop-corn, aux chips et autres? Nous pouvons vous recommander des bâtonnets de légumes. Et le choix de légumes sans sucre est excellent.

Commencez ensemble - réalisez le projet sans sucre avec une personne aux vues similaires afin que vous puissiez vous motiver mutuellement. Ce qui fonctionne dans l'exercice peut également fonctionner dans une vie sans sucre.

Profitez-en consciemment - si vous prenez la bombe à sucre, profitez-en aussi. Cela ne sert à rien si vous vous sentez mal en ce moment ou si vous vous mentez à vous-même. Alors appréciez plutôt le petit péché et voyez le tout comme une exception. Tôt ou tard, la plupart des bonbons conventionnels seront de toute façon trop sucrés pour vous. Et comme vous l'avez appris ci-dessus, les bonbons peuvent se passer de sucre ou avec moins de sucre, et ils ont aussi bon goût.

Lightning Source UK Ltd.
Milton Keynes UK
UKHW020846180521
383917UK00001B/147